Écrit par : Nicole Lebel et Francis Turenne
Illustré par : Francis Turenne
Révision des textes : Liara-Caroline Brault

Phil & Sophie : Je suis franc
ISBN : 978-2-924044-17-9
Dépôt Légal - Bibliothèque et Archives Nationale du Québec, 2012
Dépôt Légal - Bibliothèque et Archives Canada, 2012

Imprimé au Canada

Créé et publié par Fablus

Fablus.ca

je suis franc

Il fait un temps magnifique aujourd'hui !
Phil et Poncho en profitent
pour jouer ensemble.

p

Poncho est vraiment habile,
il attrape la balle en plein vol.

Comme Phil adore jouer, il lance
avec beaucoup d'énergie et s'aperçoit
un peu tard qu'il est trop près
de la maison pour jouer à la balle...

CRAC !

Phil et Poncho ont eu

un petit accident...

Leur balle a fait éclater
une vitre de la maison.

Poncho se sent triste et
il a peur de se faire gronder,
car il n'a pas attrapé la balle.

Phil réconforte Poncho et lui dit :
« Viens ici, Poncho, tu n'as pas
à t'en faire, après tout,
nous ne l'avons pas fait exprès ! »

Phil se rappelle qu'il a déjà brisé un collier appartenant à Sophie et qu'il ne voulait surtout pas le lui dire...

Il avait bien trop peur de lui faire de la peine.

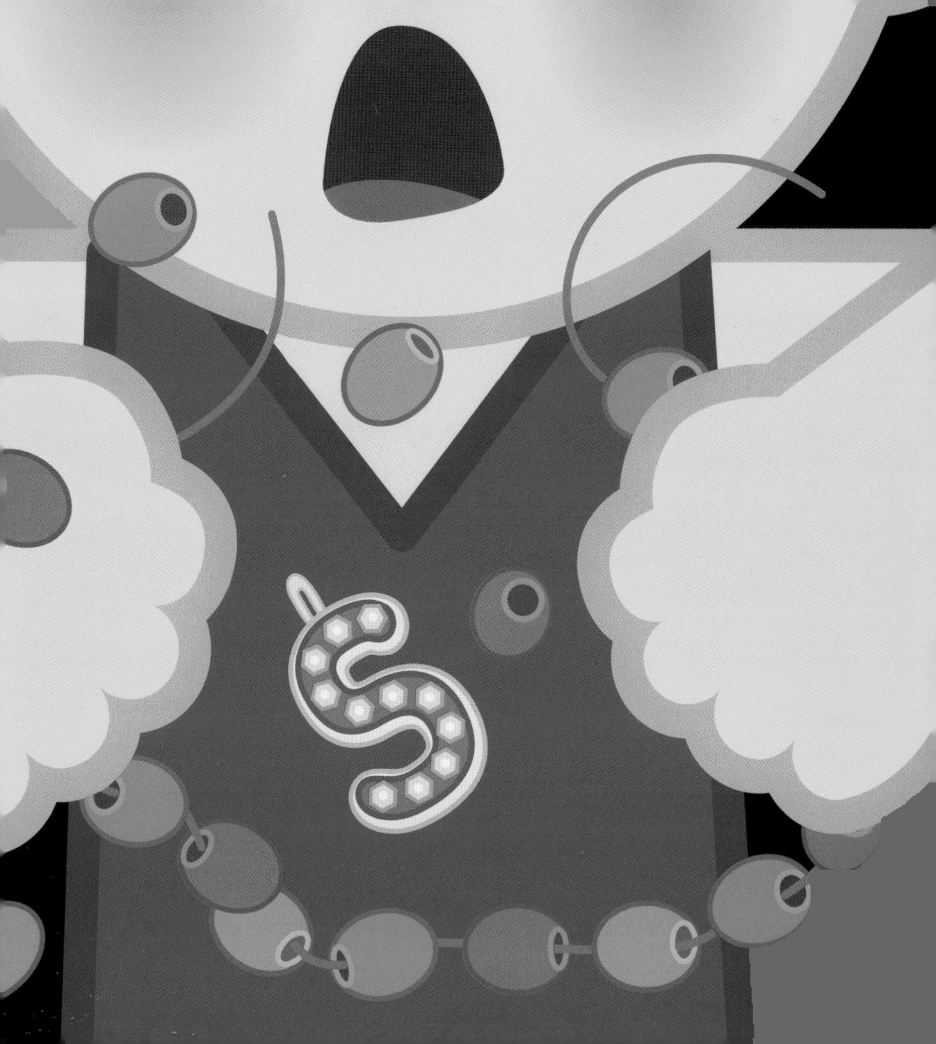

Il avait pensé se débarrasser du problème
en cachant le collier réduit en mille miettes.
Pourtant, il continuait de se sentir triste
et y pensait tout le temps.

N'en pouvant plus, Phil avait choisi d'avouer son erreur à Sophie. Il s'est tout de suite senti le coeur plus léger, même si Sophie était peinée de l'état de son collier.

Phil avait alors promis de le réparer.

En caressant la tête de Poncho, Phil lui dit :
« Il faut tout de suite aller dire que nous avons brisé la vitre en jouant. On se sent tellement soulagé quand on dit la vérité. »

Fais comme Phil et choisis de dire
les choses telles qu'elles sont.
Choisis d'être franc !

p

Déjà parus dans la même collection :

1. Je suis franc
2. Je suis courageuse
3. Je suis optimiste
4. Je suis reconnaissant
5. Je suis patient
6. Je suis serviable
7. Je suis persévérant
8. Je suis écolo
9. Je suis calme
10. Je suis généreux
11. Je suis respectueux
12. Je suis responsable